Nous remercions le ministère du Patrimoine canadien,
la SODEC et le Conseil des Arts du Canada
de l'aide accordée à notre programme de publication

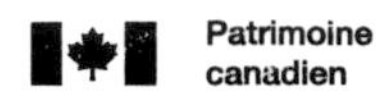

ainsi que le gouvernement du Québec
– Programme de crédit d'impôt
pour l'édition de livres
– Gestion SODEC.

Nous reconnaissons l'aide financière
du gouvernement du Canada
par l'entremise du Programme d'aide au développement
de l'industrie de l'édition (PADIÉ) pour ce projet.

Illustration de la couverture
et illustrations intérieures :
Le Mille-Pattes, Patrice Audet et Anouk Lacasse

Couverture :
Conception Grafikar

Édition électronique :
Infographie DN

Dépôt légal : 3e trimestre 2007
Bibliothèque nationale du Canada
Bibliothèque nationale du Québec

1234567890 IML 0987


ISBN 978-2-89633-049-2
11271

# ARNAUD ET LE MONSTRE VENTROU

**DE LA MÊME AUTEURE**
**AUX ÉDITIONS PIERRE TISSEYRE**

**Collection Chacal**
*L'odeur du diable,* roman, 2002.

**Données de catalogage avant publication (Canada)**

Brochu, Isabel

Arnaud et le monstre Ventrou

(Collection Sésame ; 101)
Pour enfants de 6 à 9 ans.

ISBN 978-2-89633-049-2

I. Audet, Patrice II. Titre III. Collection:
Collection Sésame ; 101

PS8553.R597A86 2007 JC843'.6 C2007-940795-1
PS9553.R597A86 2007

Isabel Brochu

# Arnaud et le monstre Ventrou

*roman*

ÉDITIONS
PIERRE TISSEYRE

9300, boul. Henri-Bourassa Ouest, bureau 220
Saint-Laurent (Québec) H4S 1L5
Téléphone : 514-335-0777 – Télécopieur : 514-335-6723
Courriel : info@edtisseyre.ca

*À tous ces enfants*
*qui sont aussi les nôtres.*

*Aux gars et aux filles*
*de Rock Détente et de*
*G3 Communications à Saguenay*
*qui ont décidé que pour eux,*
*il en état ainsi.*

## PROLOGUE

*Arnaud est un gentil garçon de neuf ans. Comme les autres enfants de son âge, il aime courir, aller à l'école, s'amuser avec ses amis et jouer des tours. Malheureusement, depuis un certain temps, un être étrange lui rend la vie difficile. Arnaud n'est plus comme avant. Il est incapable de faire toutes les choses qu'il aime. Souvent, il ne va pas dehors avec ses amis parce qu'il est trop... Enfin, il faut lire ces pages pour le savoir. Ce qui est dommage, c'est que plusieurs petits garçons et petites filles vivent la même histoire qu'Arnaud. Peut-être quelqu'un autour de toi? Peut-être toi?*

# 1

## IL EST ENCORE LÀ !

Arnaud est couché dans son lit et regarde fixement le plafond. Depuis quelque temps, il est aux prises avec un étrange personnage... un monstre nommé Ventrou. Arnaud veut s'en débarrasser. Le petit garçon sait que le monstre est là, quelque part dans la chambre, car l'animal le suit partout. Arnaud est un garçon courageux, alors il lève la tête et vérifie dans tous les coins.

— Ah!

Arnaud l'a vu. Il est encore là, contre le mur, bien assis sur le coffre à jouets. Sa tête et son ventre sont énormes. Il a de grands yeux et un sourire qui fait peur. Vite, Arnaud se cache sous les couvertures et ferme les yeux très fort.

Arnaud réfléchit à ce que son enseignante leur a expliqué l'autre jour dans la classe. Justine avait demandé: « Est-ce que les monstres existent pour vrai? » Madame Carole a répondu que parfois, quand on a trop peur d'une chose, on peut la voir même si elle n'existe pas. *Si j'arrête d'avoir peur, il va partir,* se dit Arnaud. *Je vais me concentrer et penser à quelque chose que j'aime beaucoup. Je vais penser à... à... Je sais! Tommy a dit que le parc*

LE PARC

*d'attractions s'installerait dans trois jours sur le grand terrain vague du centre sportif !*

Arnaud imagine alors la grande roue, les autos tamponneuses, les jeux de balles et les montagnes russes, son manège préféré. Il perçoit presque les cris des enfants qui tournoient dans les airs. Il voit les milliers de minuscules lumières multicolores et entend les bruits que font les jolis avions quand ils décollent lentement. Bien installé dans son lit, la tête ailleurs, Arnaud oublie complètement le Ventrou. Finalement, le jeune garçon réussit à s'endormir en rêvant qu'il ira bientôt au parc d'attractions avec ses amis.

# 2

## JULIETTE

Le matin est enfin arrivé. Un rayon de lumière entre par la fenêtre et traverse la chambre jusqu'au lit d'Arnaud. Le garçon ouvre un œil. Sa tête est pleine d'idées mélangées, car son rêve de manèges a mal tourné. Au début, tout allait bien. Il était dans les montagnes russes avec Tommy. Les deux amis riaient très fort en levant leurs bras en l'air. Mais quand Arnaud a tourné la tête pour regarder son copain, c'est Ventrou qui était assis près de lui. Il criait : « C'est fou ce qu'on s'amuse bien, tous les deux ! » Arnaud a très mal dormi. Il est fatigué et doit se lever pour aller à l'école. *Les cauchemars s'évanouissent avec la lumière. Ventrou ne sera pas là,* se dit Arnaud pour s'encourager.

Il sort sa tête des couvertures et dirige son regard vers le coin de la chambre.

— Ah !

Ventrou est encore plus gros qu'hier. Son ventre est tellement rond que son nombril ressort comme une boule. Et ses yeux ! Deux gros globes couronnés de poils noirs hirsutes. Et toujours ce grand sourire baveux répugnant.

— Salut Arnaud ! Je suis là. Tu me vois ? Nous allons passer une belle journée, toi et moi.

*Je compte jusqu'à trois et je cours*, se dit Arnaud, *1, 2 et 3…*

Arnaud sort du lit en trombe. Il attrape ses vêtements au passage et quitte la chambre. *Il est tellement gros, il ne sera pas capable de me rattraper.*

Le garçon arrive dans le salon, content de s'être débarrassé du monstre.

— Surprise, je suis là! Tu peux courir aussi vite qu'une voiture de course. Moi, je suis toujours près de toi.

Arnaud est un peu découragé. Il sort de la maison et part pour l'école. Il n'a pas déjeuné et Ventrou est agrippé à son pantalon avec ses longues griffes.

— Lâche-moi. Je ne t'aime pas. Je veux que tu disparaisses.

— Moi, je t'aime beaucoup et je ne veux pas te lâcher. Crois-moi, on va bien jouer, tous les deux.

— Mais, je ne m'amuse jamais avec toi. Je te déteste. J'en ai assez de tes mauvais coups.

On entend alors une voix au loin.

— Arnaud! Viens me rejoindre, je t'attends.

Le garçon tourne la tête dans tous les sens. Il ne voit personne.

— Arnaud, regarde par ici, je suis là.

C'est son amie qui se cache derrière un gros tronc d'arbre. Elle aime faire des blagues. Arnaud est content de la voir. Il pousse un soupir de soulagement.

— Juliette ! Attends-moi, j'arrive.

Ventrou lui chuchote à l'oreille :

— Tu ne dois pas m'oublier, mon petit Arnaud, je suis toujours là, bien accroché à toi.

Ventrou est trop lourd. Arnaud veut courir, mais c'est difficile pour lui. Avec le monstre, son sac d'école et son ventre vide, ses petites jambes n'avancent pas comme il le voudrait.

— Allez, Arnaud, dépêche-toi, sinon on va être en retard à l'école.

Le garçon prend une bonne respiration et donne un coup avec sa jambe pour se débarrasser de Ventrou. Il réussit à rejoindre son amie.

— Tu as l'air fatigué, Arnaud. Tu es essoufflé comme mon père quand nous faisons de la bicyclette.

— J'ai couru trop vite.

— Pauvre toi ! Tu as des gouttes de sueur sur le visage.

— Ce n'est pas grave.

Depuis quelque temps, Arnaud se fatigue rapidement quand il fait un effort physique, mais il veut que Juliette arrête de lui en parler. Il ne se sent pas bien et décide de changer de sujet.

— Est-ce que tu savais que le parc d'attractions va s'installer sur la place du centre sportif samedi ?

— Oui, Tommy parle de ça à tout le monde. Il se vante en disant qu'il va monter dans tous les manèges, même les plus hauts et les plus étourdissants.

— Est-ce que tu vas y aller?

— Je ne sais pas.

Juliette fait la moue.

— Si je te dis un secret, vas-tu le garder pour toi?

— Oui, pourquoi?

— Ne le dis pas à personne, insiste Juliette. Surtout pas à Tommy. Tu sais, j'ai très peur des manèges. Ça me donne mal au cœur. Je m'imagine que l'appareil se brise et je me vois tomber dans le vide. Si je dis ça à l'école, tout le monde va se moquer de moi.

— Tu as peur des manèges?

*Alors... Juliette aussi a peur de quelque chose...* Arnaud se dit qu'il pourrait parler de son problème à Juliette. Si elle lui confie un secret, il peut faire la même chose. Elle sait peut-être quoi faire pour se débarrasser de Ventrou. Comme s'il lisait dans les pensées du jeune garçon, le monstre lui souffle à l'oreille :

— N'y pense même pas, Arnaud. Elle ne te croira pas. Elle va rire de toi. Un monstre Ventrou… Imagine ce qu'elle va penser ! *Il est fou, il voit des monstres.* Tu vas perdre ton amie.

— Est-ce que tu m'écoutes, Arnaud ? On dirait que tu n'es pas là. Me promets-tu de garder mon secret ?

— Oui. Je ne vais pas le dire. À personne.

— Tu sais quoi ? Maman organise une grande fête pour mon anniversaire. Est-ce que tu vas venir, dis ?

— Peut-être.

— Maman a promis qu'il y aurait un clown, des bonbons, des

ballons. Je peux inviter cinq amis. Est-ce que tu vas venir, dis?

— Arrête de me répéter ça. Je ne sais pas. Je vais le demander à ma mère.

Le premier dring de la cloche d'école se fait entendre.

— On fait la course?

— Non, non, vas-y, je vais continuer à marcher.

— D'accord. À tantôt.

— À tantôt, Juliette.

# 3

# UNE RENCONTRE BIZARRE

Ventrou profite du départ de Juliette pour sauter sur le sac d'école, qui est déjà rempli de livres et de cahiers. Arnaud a mal au dos. Son sac est beaucoup trop lourd pour lui. Il a faim et manque d'énergie.

— Tu as besoin d'aide pour marcher, Arnaud ?

Le jeune garçon tourne la tête. Il est un peu surpris. Il ne savait pas qu'on le suivait.

— Tu es fatigué?

— Mais, mais... qui êtes-vous?

Arnaud regarde attentivement la femme qui se trouve devant lui. Il a l'impression de l'avoir déjà vue mais... il n'arrive pas à se rappeler. Est-ce qu'elle travaille à l'école? Non. À la bibliothèque? Non. Il l'a peut-être déjà vue au magasin de vidéo? Non plus. Elle a l'air très gentille. Elle a proposé de l'aider et il est tellement fatigué! Mais il connaît la consigne: il ne faut jamais parler à des inconnus. Quel casse-tête! Arnaud en a assez de toujours se poser des questions. Il veut jouer tranquille avec ses amis. Il veut aussi de l'aide pour porter son sac. Il veut que ce Ventrou disparaisse à tout jamais.

— Ton sac d'école est trop lourd pour toi. Donne-le-moi, je vais le porter. Tu sais, le Ventrou ne me fait pas peur.

— Mais... comment savez-vous? Il...

Arnaud est très surpris. Comment peut-elle savoir que le Ventrou lui joue des tours? Il ne l'a dit à personne. Jamais! Tout s'embrouille dans sa tête.

— Je le sais parce que je suis l'infirmière. Je fais des petites visites dans les écoles, et quand un garçon ou une fille se promène avec un Ventrou attaché sur son dos, je le remarque toujours. Tu me reconnais, maintenant ?

Arnaud est soulagé. Il se souvient. Elle avait expliqué devant la classe comment se brosser les dents. Mais il ne comprend toujours pas comment elle peut savoir tout ça.

— Écoute-moi, Arnaud. Tu n'es pas le seul dans ton cas. Dans la cour d'école, plusieurs de tes amis ont des problèmes avec un monstre Ventrou. Moi, je suis capable de les voir, même quand ils se cachent dans les sacs d'école. Et je sais comment faire pour s'en débarrasser.

— Ah oui ? Comment ?

— Les Ventrou ont peur de trois choses.

— Est-ce qu'ils ont peur des manèges ?

— Non. D'abord, ils ont très peur quand il y a plusieurs grandes personnes qui décident de se réunir pour aider les enfants à se débarrasser des Ventrou. C'est un peu comme une grande fête avec des enfants et des grands.

Arnaud est déçu.

— Ah oui ? Mais ça n'arrive jamais dans ma vie à moi, ça !

— Fais-moi confiance. Devine quelle est la deuxième chose qui fait peur aux Ventrou...

— Je ne sais pas.

— Ils détestent les petits-déjeuners à l'école.

— Des petits-déjeuners à l'école ? Qu'est-ce que c'est que ça ? Il n'y a pas de petits-déjeuners, à l'école. Je ne pourrai jamais me débarrasser de lui. C'est quoi la troisième chose qui leur fait peur ?

— Les réfrigérateurs. Les Ventrou détestent les réfrigérateurs bien remplis. Quand ils les voient, leur tête et leur ventre rapetissent et deviennent minuscules. Il faut alors les attraper et les enfermer dans le réfrigérateur. Avec le froid, les Ventrou deviennent microscopiques et congelés. Impossible pour eux de sortir !

Enfin, une réponse qui encourage Arnaud. Il se sent ragaillardi.

— Moi, je n'ai pas peur des réfrigérateurs.

— Les Ventrou ne sont pas aussi courageux que toi, Arnaud.

Arnaud est quand même un peu inquiet.

— Il y a quelque chose que je ne comprends pas. Il y a un

réfrigérateur dans ma maison. Chez tous mes amis aussi. Le monstre Ventrou n'a jamais eu peur, pourtant.

— Tu vas tout comprendre demain matin. Je vais t'attendre ici même. J'ai une surprise pour toi. Tu dois y aller, maintenant, tu vas être en retard.

— Vous serez là demain ?

— Je vais comprendre alors ?

— Oui, tu vas tout comprendre. Allez, vas-y.

— Madame ?

— Oui, Arnaud ?

— C'est quoi votre nom ?

— Ariane. Je m'appelle Madame Ariane.

— À demain, Madame Ariane ?

— Promis.

# 4

# UNE JOURNÉE CATASTROPHIQUE

Arnaud ne sait pas ce qu'il doit penser de cette rencontre avec Madame Ariane. Il ne la connaît pas beaucoup, cette femme, mais il veut que ce qu'elle lui a dit soit vrai. C'est un peu comme croire que ses parents vont se réunir pour lui à Noël. Depuis qu'ils sont séparés, ils ne font plus d'activités en famille, à trois. Arnaud voudrait plus que tout au monde que ses parents reviennent ensemble. Il sait bien que ça n'arrivera pas, mais il le souhaite toujours très, très fort.

Pendant que le garçon attend dans le rang avant d'entrer à l'école, Ventrou est installé confortablement sur son épaule. Pour s'amuser, le petit monstre joue avec ses oreilles. Il se sert de son lobe comme si c'était une corde de guitare.

— Lâche-moi!

Le surveillant s'approche.

— On ne parle pas dans le rang.

— Excusez-moi.

Les élèves entrent à la queue leu leu et se dirigent vers leur classe. Après avoir déposé son manteau, Arnaud s'en va lentement à son bureau. Il s'assoit sur sa chaise et

4
2 +

attend que l'enseignante commence les explications.

— Je déteste les cours de mathématiques, dit Ventrou. On pourrait faire un drôle de jeu à la place, toi et moi, hein Arnaud ?

*Je dois le laisser faire. Je vais me concentrer sur ce que dit Madame Carole. Il va me laisser tranquille.* Impossible. Le monstre Ventrou est plein d'énergie, ce matin. Il veut jouer et sautille partout sur le bureau. Arnaud se penche à gauche, à droite. Il essaie de lire ce qui est écrit au tableau. *Je dois additionner deux… ensuite je prends le sept et j'ajoute… Je ne vois pas… est-ce que c'est un douze ?*

À l'avant de la classe, Madame Carole aperçoit Arnaud qui n'arrête pas de bouger. Elle se demande bien ce qu'il fait. Depuis quelques semaines, il n'écoute pas en classe.

Il y a des erreurs dans ses devoirs. Arnaud n'est pas comme avant, elle se dit qu'il doit avoir un problème.

— Arnaud, est-ce que tu comprends bien la leçon, aujourd'hui?

— Oui, madame. C'est parce que... *Qu'est-ce que je fais là, moi? Je ne peux quand même pas lui dire que le Ventrou me dérange.* Euh...

Des amis commencent à rire dans la classe. Sauf Juliette. Elle aime beaucoup Arnaud et ça lui fait de la peine quand les autres se moquent de lui. Elle sait bien qu'Arnaud est gentil. Il a seulement un peu de difficulté à écouter son enseignante.

— Silence, tout le monde. Arnaud n'est pas le seul à manquer d'attention. Vous aurez un devoir à faire, ce soir. Je veux que tout le monde se concentre, s'il vous plaît.

*Ouf!*

Toute la journée, le garçon a fait des efforts. Mais ce n'est pas facile pour lui, car Ventrou fait tout pour le déranger. Il lui a fredonné des airs de Noël dans les oreilles pendant le cours de musique. Après la récréation de l'après-midi, c'était encore pire. Le méchant monstre a posé sa grosse tête pesante sur l'épaule du jeune garçon, qui a lui aussi fini par s'endormir pendant la leçon de français. Un vrai gâchis.

Enfin, la journée est terminée. Arnaud est debout au milieu de la cour d'école et examine tous les coins. Il cherche d'autres Ventrou, mais il n'en voit pas. *Pourtant, Madame Ariane m'a bien dit que d'autres amis avaient des problèmes avec un monstre. Pourquoi est-ce que je ne les vois pas?*

Arnaud est tourmenté. Il ne sait plus ce qui est vrai. Ventrou en profite pour lui mélanger davantage les idées.

— Tu ne vois pas d'autres Ventrou parce qu'il n'y en a pas. Je suis un monstre Ventrou unique au monde. Tu es chanceux d'avoir un ami comme moi.

Arnaud pousse un long soupir et part vers sa maison. Il tourne la tête une dernière fois en direction de l'école. Il aperçoit alors la dame qui traverse la rue. Elle le voit et lui fait un salut de la main.

*Elle est bien là ! Je n'ai pas rêvé.* Pour la première fois depuis longtemps, Arnaud a hâte au lendemain. *Madame Ariane est gentille. Elle va m'aider. Elle me l'a promis.*

# 5

## BON DÉBARRAS !

Le lendemain matin, Arnaud a très hâte de partir pour l'école. Il se sent plus fort, même s'il est un peu fatigué et qu'il a toujours le ventre vide.

— Tu vas voir, je vais me débarrasser de toi aujourd'hui. Je ne te reverrai plus jamais !

— Ce n'est pas la petite dame que tu as rencontrée hier qui va t'aider. Je suis plus fort qu'elle, je suis gros, je suis méchant, je suis mauve, je connais beaucoup de mauvais tours.

— Tu es un menteur ! Madame Ariane me l'a dit.

— Et moi, je te réponds qu'elle ne sera pas là et j'en suis absolument certain. Est-ce que c'est moi qui dis la vérité ? Est-ce que c'est elle ? Moi, je sais, toi, tu ne sais pas. C'est comme ça. C'est comme ci, comme ça.

— Arrête de tourner autour de moi ! Tu m'étourdis à la fin !

— Étourdis ? Ça rime avec gargouillis. Tu entends mon ventre qui fait des gargouillis ?

— Je sais qu'elle disait vrai, elle t'a vu ! Elle va m'aider à me débarrasser de toi. Elle a promis.

— Promis ? Ça rime aussi avec gargouillis. Ton ventre aussi fait des

glouglous. C'est un drôle de bruit, hein ?

Arnaud se bouche les oreilles pour ne plus l'entendre. Ventrou parle trop fort et lui donne mal à la tête. En arrivant près de la rue où traversent les élèves, il l'aperçoit.

— Elle est là ! Youpi !

Pour la première fois depuis longtemps, Arnaud se sent moins seul. Il reprend un peu confiance en lui et oublie quelques instants le creux dans son ventre. Il regarde le monstre directement dans ses deux gros yeux globuleux. Il voit enfin de la peur dans le visage poilu de Ventrou.

— Il y a d'autres mots qui riment avec gargouillis ? Est-ce que tu les connais, espèce de Ventrou ?

— Ouille ! Ouille !

— Non. Ouille rime avec écrabouille. Comme dans la phrase :

« Attends que je t'écrabouille, tu vas voir que tu vas crier ouille, ouille ! »

— Aïe ! Aïe !

— Alors, le Ventrou, tu n'es plus capable de faire de la poésie ? Gargouillis rime avec déguerpis, et aussi avec aplati !

— Arnaud ?

— Ah, vous êtes là. Ventrou me disait que vous ne teniez pas vos promesses.

Il lui donne la main et la serre très fort.

— Ventrou raconte n'importe quoi. Il sait que tu as peur de lui, alors il en profite.

— Je crois que maintenant, c'est lui qui est effrayé par vous.

— Viens, mon garçon, je vais te montrer quelque chose qui va te faire plaisir. Regarde.

Elle attrape Arnaud et le hisse jusqu'à la fenêtre du gymnase.

— Regarde! Pourquoi ne viens-tu pas à la fête avec nous?

— Je suis invité?, demande Arnaud, un peu gêné.

— Bien sûr!, répond-elle chaleureusement. Tout le monde est invité.

La salle est remplie à craquer... Plein d'adultes et d'enfants parlent et rient ensemble. Sur les tables, il y a des fruits, du jus, du lait, des rôties, des céréales.

— WOW... Je vois des enseignants, Madame Carole est là! Et je la connais, celle-là: c'est la caissière de l'épicerie. Lui? Le monsieur de la télévision. Mon voisin, le facteur, Monsieur Girard, la grand-mère de Patrick, les parents de Juliette, la directrice est là aussi, le...

— Ils sont là pour toi et aussi pour d'autres amis. C'est le Club des petits déjeuners du Québec.

— Je sais, on en a parlé en classe.

— Les bénévoles préparent un bon repas le matin pour bien remplir ton ventre. Tu auras plus d'énergie pour écouter ton professeur, faire le travail en classe et aussi jouer avec tes amis. Si tu as des problèmes, ils sont là pour t'écouter.

— Tommy est là. Génial ! William ? Hein, Jessica. Et aussi, Pierre-Olivier, Alexane, Marguerite ; je ne comprends pas…

— Je te l'avais dit : tu n'es pas seul. Tu vas voir, c'est très amusant le Club des petits déjeuners du Québec. C'est un peu comme une fête.

— Il y a plein d'amis?

— C'est ça. Et regarde les yeux de ton Ventrou: on dirait bien qu'ils sont envahis par la peur.

— Il va arrêter de faire des gargouillis.

— Viens, on y va. On va te délivrer de lui définitivement.

— Mais comment?

— On va commencer par manger avec les amis. Ton Ventrou va devenir tout petit. Alors, on va l'attraper et l'enfermer. Est-ce que tu te souviens de l'endroit qui lui fait tellement peur?

— OUI! Le réfrigérateur! On va t'enfermer dans le réfrigérateur! On va t'enfermer dans le réfrigérateur! Tu vas devenir un monstre microscopique congelé et tu ne pourras plus sortir, espèce de Ventrou!

— Et tu sais quoi? Aussi longtemps que le Club des petits déjeuners du Québec sera dans ton école, tu ne risques pas de le revoir, ce gros Ventrou peureux. Il y aura un bon repas chaque matin et des grandes personnes pour t'aider. On va lui enlever le goût de te jouer des mauvais tours. Allez, on va manger, maintenant!

— Oui, on va à la fête! Mais avant, j'ai quelque chose à dire à Ventrou.

— Vas-y, mais dépêche-toi.

— Alors, le Ventrou, toi qui aimes les rimes, écoute bien ce poème, spécialement pour toi:

Quand il y a une fête
Tu ne peux plus sauter sur ma tête
Je vais déjeuner avec mes amis
Tu vas devenir tout aplati
Espèce de monstre Ventrou
Je ne vais plus te voir du tout

Arnaud entre à l'école avec Madame Ariane. Il a l'impression de voler.

— Salut Arnaud, viens t'asseoir avec moi!

C'est Tommy qui a crié. Son ami approche une chaise. Arnaud prend place entre lui et William. Son cœur se serre; il est tellement content!

— Est-ce que tu sais que le parc d'attractions va s'installer bientôt près de chez nous?

Arnaud se met à rire.

— Tu répètes ça à tout le monde, Tommy! Toute l'école le sait.

— Arnaud, est-ce que tu veux un verre de lait?

C'est Madame Carole, son enseignante.

— Merci, Madame Carole.

Arnaud est content. Il est avec ses amis, des enseignants, des gens de son quartier. Au lieu de se faire

casser les oreilles avec les sottises de Ventrou, il entend des rires, des histoires drôles et des bruits d'ustensiles. Tout le monde a l'air de bonne humeur. Il a eu raison d'avoir confiance en Madame Ariane. Maintenant, il n'est plus seul.

*Tiens, mon creux dans le ventre est parti, en même temps que ce terrible Ventrou!*

# TABLE DES MATIÈRES

## Isabel Brochu

Isabel Brochu est native de la Baie, dans la région du Saguenay–Lac-Saint-Jean. Elle a écrit la première histoire de Ventrou pour le grand radiodon de Rock Détente à Saguenay. Elle croit sincèrement qu'un enfant doit avoir le ventre bien rempli pour faire le plein d'énergie, aller à l'école, jouer avec ses amis, faire du sport ou inventer des histoires. Elle est très contente de participer à ce grand festin collectif pour les enfants. Quoi de mieux pour se débarrasser de ces affreux Ventrou? Elle espère écrire bien d'autres histoires qui parleront des joies et des peines des enfants.

## Collection Sésame

1. **L'idée de Saugrenue**
   Carmen Marois
2. **La chasse aux bigorneaux**
   Philippe Tisseyre
3. **Mes parents sont des monstres**
   Susanne Julien
   (palmarès de la Livromagie 1998-1999)
4. **Le cœur en compote**
   Gaétan Chagnon
5. **Les trois petits sagouins**
   Angèle Delaunois
6. **Le Pays des noms à coucher dehors**
   Francine Allard
7. **Grand-père est un ogre**
   Susanne Julien
8. **Voulez-vous m'épouser, mademoiselle Lemay?**
   Yanik Comeau
9. **Dans les filets de Cupidon**
   Marie-Andrée Boucher Mativat
10. **Le grand sauvetage**
    Claire Daignault
11. **La bulle baladeuse**
    Henriette Major
12. **Kaskabulles de Noël**
    Louise-Michelle Sauriol
13. **Opération Papillon**
    Jean-Pierre Guillet
14. **Le sourire de La Joconde**
    Marie-Andrée Boucher Mativat
15. **Une Charlotte en papillote**
    Hélène Grégoire (prix Cécile Gagnon 1999)
16. **Junior Poucet**
    Angèle Delaunois
17. **Où sont mes parents?**
    Alain M. Bergeron
18. **Pince-Nez, le crabe en conserve**
    François Barcelo
19. **Adieu, mamie!**
    Raymonde Lamothe
20. **Grand-mère est une sorcière**
    Susanne Julien
21. **Un cadeau empoisonné**
    Marie-Andrée Boucher Mativat
22. **Le monstre du lac Champlain**
    Jean-Pierre Guillet

23. **Tibère et Trouscaillon**
Laurent Chabin

24. **Une araignée au plafond**
Louise-Michelle Sauriol

25. **Coco**
Alain M. Bergeron

26. **Rocket Junior**
Pierre Roy

27. **Qui a volé les œufs?**
Paul-Claude Delisle

28. **Vélofile et petites sirènes**
Nilma Saint-Gelais

29. **Le mystère des nuits blanches**
Andrée-Anne Gratton

30. **Le magicien ensorcelé**
Christine Bonenfant

31. **Terreur, le Cheval merveilleux**
Martine Quentric-Séguy

32. **Chanel et Pacifique**
Dominique Giroux

33. **Mon oncle Dictionnaire**
Jean Béland

34. **Le fantôme du lac Vert**
Martine Valade

35. **Niouk, le petit loup**
Angèle Delaunois

36. **Les visiteurs des ténèbres**
Jean-Pierre Guillet

37. **Simon et Violette**
Andrée-Anne Gratton

38. **Sonate pour un violon**
Diane Groulx

39. **L'affaire Dafi**
Carole Muloin

40. **La soupe aux vers de terre**
Josée Corriveau

41. **Mes cousins sont des lutins**
Susanne Julien

42. **Espèce de Coco**
Alain M. Bergeron

43. **La fille du roi Janvier**
Cécile Gagnon

44. **Petits bonheurs**
Alain Raimbault

45. **Le voyage en Afrique de Chafouin**
Carl Dubé

46. **D'où viennent les livres?**
Raymonde Painchaud

47. **Mon père est un vampire**
Susanne Julien

48. **Le chat de Windigo**
Marie-Andrée Boucher Mativat

49. **Jérémie et le vent du large**
Louise-Michelle Sauriol

50. **Le chat qui mangeait des ombres**
Christine Bonenfant

51. **Le secret de Simon**
Andrée-Anne Gratton

52. **Super Coco**
Alain M. Bergeron

53. **L'île aux loups**
Alain Raimbault

54. **La foire aux bêtises**
Marie-Élaine Mineau

55. **Yasmina et le petit coq**
Sylviane Dauchelle

56. **Villeneuve contre Villeneuve**
Pierre Roy

57. **Arrête deux minutes !**
Geneviève Piché

58. **Pas le hockey ! Le hoquet. OK ?**
Raymonde Painchaud

59. **Chafouin sur l'île aux Brumes**
Carl Dubé

60. **Un espion dans la maison**
Andrée-Anne Gratton

61. **Coco et le docteur Flaminco**
Alain M. Bergeron

62. **Le gâteau gobe-chagrin**
Maryse Dubuc

63. **Simon, l'as du ballon**
Andrée-Anne Gratton

64. **Lettres de décembre 1944**
Alain M. Bergeron

65. **Ma tante est une fée**
Susanne Julien

66. **Un jour merveilleux**
Alain Raimbault

67. **L'enfant des glaces**
Yves Ouellet

68. **Les saisons d'Émilie**
Diane Bergeron

69. **Les chaussettes de Julien**
Chantal Blanchette

70. **Le séducteur**
Hélène Cossette

71. **Les gros rots de Vincent**
Diane Bergeron

72. **Quel cirque, mon Coco !**
Alain M. Bergeron

73. **J comme toujours**
Raymonde Painchaud

74. **Vol de gomme, vive la science !**
Raymonde Painchaud

75. **Un été dans les galaxies**
Louise-Michelle Sauriol

76. **La deuxième vie d'Alligato**
Maryse Dubuc

77. **Des crabes dans ma cour**
Andrée-Anne Gratton

78. **L'envahisseur**
Diane Groulx

79. **Une sortie d'enfer !**
Marie-Andrée Boucher Mativat

80. **La télévision ? Pas question !**
Sylviane Thibault

81. **Le sobriquet**
Louise Daveluy

82. **Quelle vie de chat !**
Claudine Paquet

83. **Le père Noël perd le nord**
Marie-Andrée Boucher Mativat

84. **Le coco d'Amérique**
Alain M. Bergeron

85. **La saga de Crin-Bleu**
André Jacob

86. **Coups de cœur au pôle Nord**
Marie-Andrée Boucher Mativat

87. **La grande peur de Simon**
Andrée-Anne Gratton

88. **Un Pirloui et des pirlouettes**
Raymonde Painchaud

89. **Pierrot et l'été des salamandres**
Lyne Vanier

90. **Les esprits de la forêt**
Isabelle Larouche

91. **Chaud, chaud le pôle Nord**
Marie-Andrée Boucher Mativat

92. **Mon chien est invisible**
Susanne Julien

93. **Photomaton**
Gaétan Chagnon

94. **Chanel et ses moussaillons**
Dominique Giroux

95. **Le voyage secret**
Louise-Michelle Sauriol

96. **Ça va être ta fête**
Geneviève Piché

97. **Rumeurs au pôle Nord**
Marie-Andrée Boucher

98. **À venir**

99. **Mission chocolat pour Simon**
Andrée-Anne Gratton

100. **Coco Pan**
Alain M. Bergeron

101. **Arnaud et le monstre Ventrou**
Isabel Brochu